LOLA

LOUFANE

ALFAGUARA
INFANTIL

Cerca, cerca del bosque
hay una vieja granja.
Y en esa granja
viven unas gallinas.

Como verán,
se trata de gallinas
muy especiales.

En esa granja cada mañana
canta el gallo.
Y...

...cada mañana
¡las gallinas se alborotan!

¿Quién
es la
más bonita?

Y la más bonita
es LOLA.

El gallo no tiene ojos más
que para LOLA y sólo LOLA.

Pero, ¡oh tragedia!,
ella está enamorada de otro.
"¿Por qué la vida es tan difícil?",
se pregunta Lola suspirando.

De nada sirve que el gallo se lave las plumas
o se pavonee frente a ella.
Nada de "toctoctoc" para el gallo.

Para LOLA, nada de "tralalá".
Ella no busca al gallo sino a alguien más.

Y tiene que buscar muy lejos
porque su héroe está en algún lugar
a la distancia, alejado de ella.
¡Se siente tan sola!

Las otras gallinas se mueren de risa.

"Ajajá... jijijí... tooooc...

tooooc jajajajá... tooooc...

Tooocojoj... está enamorada.

Lola está enamorada... toooocjajá."

"Si para lo único que sirvo es para que se burlen
de mí, ¡me marcho!",
dice Lola llorando.

Y se va.

Pero, ¿a dónde?

Al bosque...

Deprisa, Lola.
¡Apresúrate! ¡Rápido!

Entonces...
De pronto...

Es Lola.
¿Hmmm?
"¿Me buscabas?"

Y ¡fum!

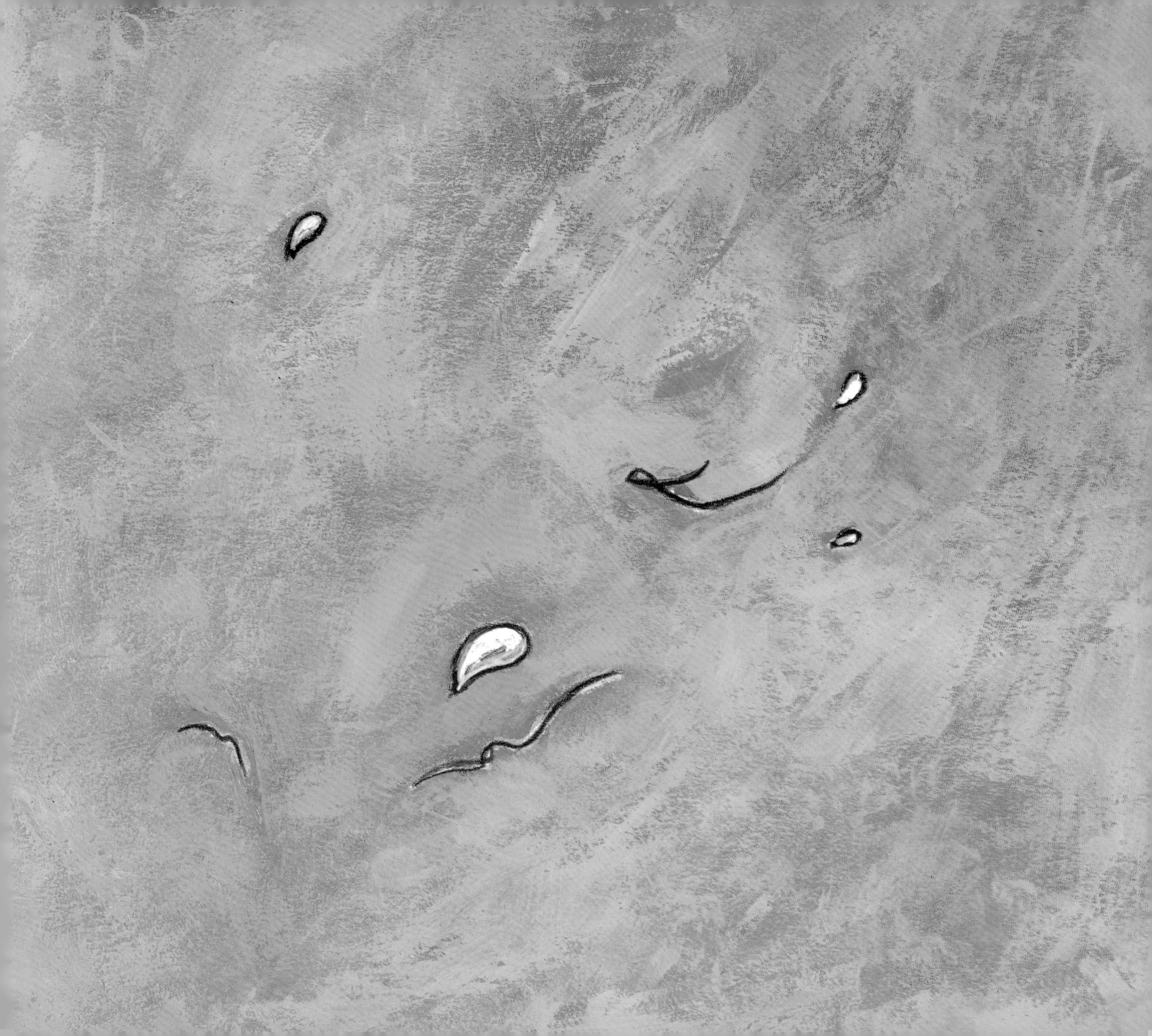

ALFAGUARA M.R.

Título original: LOLA
Por Loufane

D.R. © Clavis Uitgeverij, Amsterdam-Hasselt.
Publicado por primera vez en Bélgica y los Países Bajos en 2001
por Clavis Uitgeverij, Amsterdam-Hasselt.
D.R. © del texto y las ilustraciones:Clavis Uitgeverij, Amsterdam-Hasselt, 2001
Todos los derechos reservados
© de la traducción: Laura Emilia Pacheco

D.R. © de esta edición:
Santillana Ediciones Generales, S.A. de C.V., 2008
Av. Río Mixcoac 274, Col. Acacias
03240, México, D.F.

Alfaguara es un sello editorial del **Grupo Prisa.**
Éstas son sus sedes:

Argentina, Bolivia, Chile, Colombia, Costa Rica, Ecuador,
El Salvador, España, Estados Unidos, Guatemala, México, Panamá, Perú,
Puerto Rico, República Dominicana, Uruguay y Venezuela.

Primera edición: marzo de 2008
Primera reimpresión: octubre de 2012

ISBN: 978-970-58-0345-1

Impreso en México

PRISA EDICIONES

Este ejemplar se terminó de imprimir en Octubre de 2012
En Impresiones en Offset Max, S.A. de C.V.
Catarroja 443 Int. 9 Col. Ma. Esther Zuno de Echeverría
Iztapalapa, C.P. 09860, México, D.F.